ACTIVITÉS ET JEUX

D0542136

hachette
JEUNESSE

POKÉMON™

ACTIVITÉS ET JEUX

hachette
JEUNESSE

• PUZZLE •

Choisis les bonnes pièces de puzzle
pour reconstituer l'image de Grenousse.

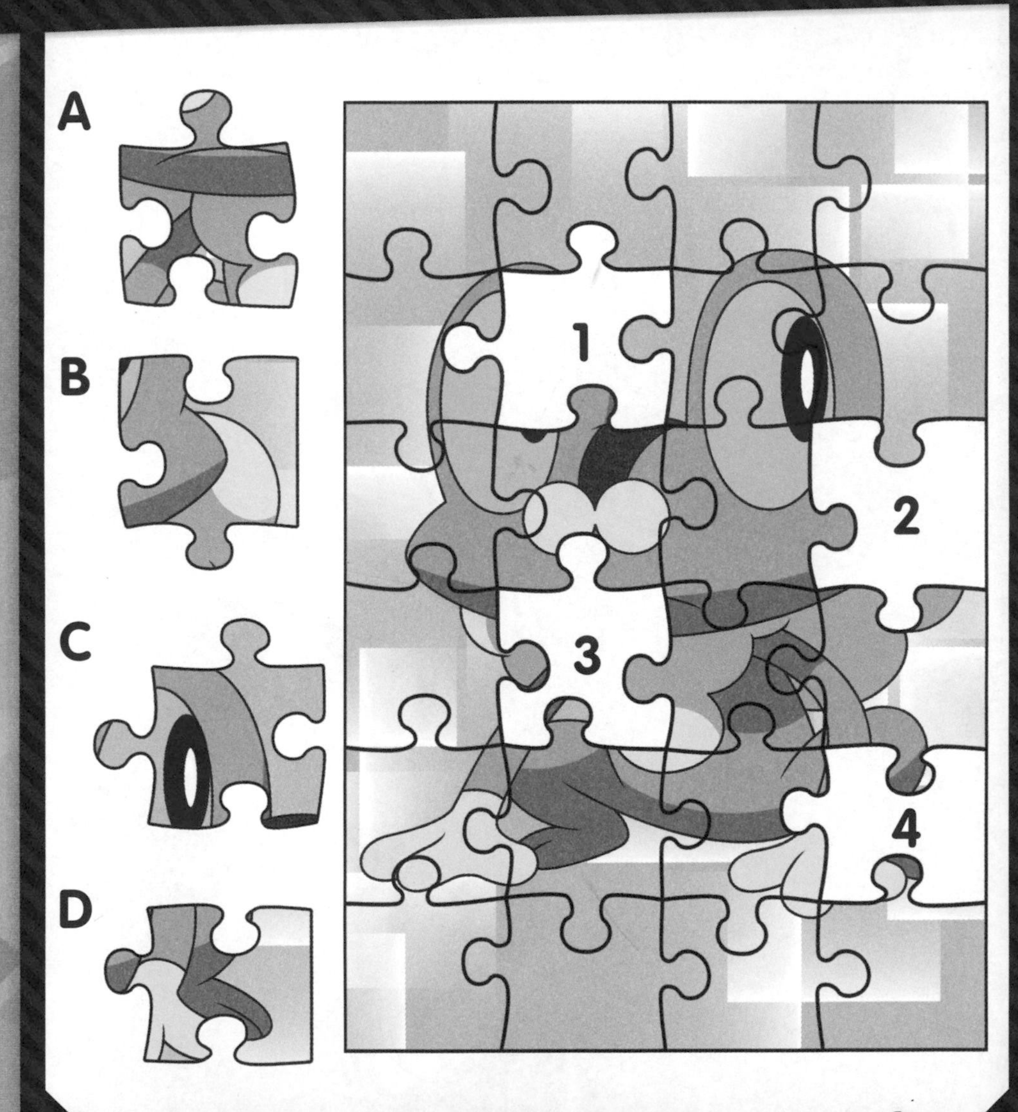

• À CHACUN SON TYPE •

Chaque Pokémon appartient à un type bien défini.
Relie chaque Pokémon au bon type !

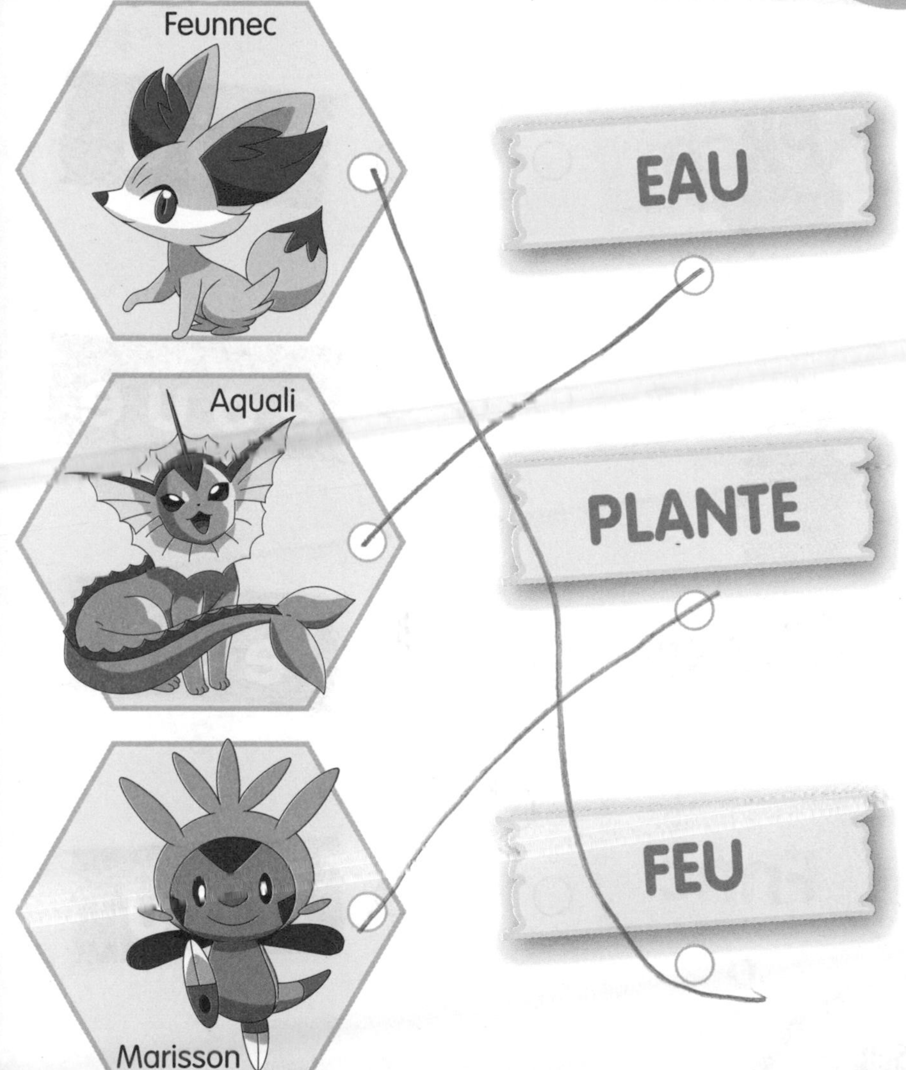

• MAIS OÙ SONT LES VOYELLES ? •

Ces noms de Pokémon ont perdu leurs voyelles. Heureusement, tu es là pour les retrouver !

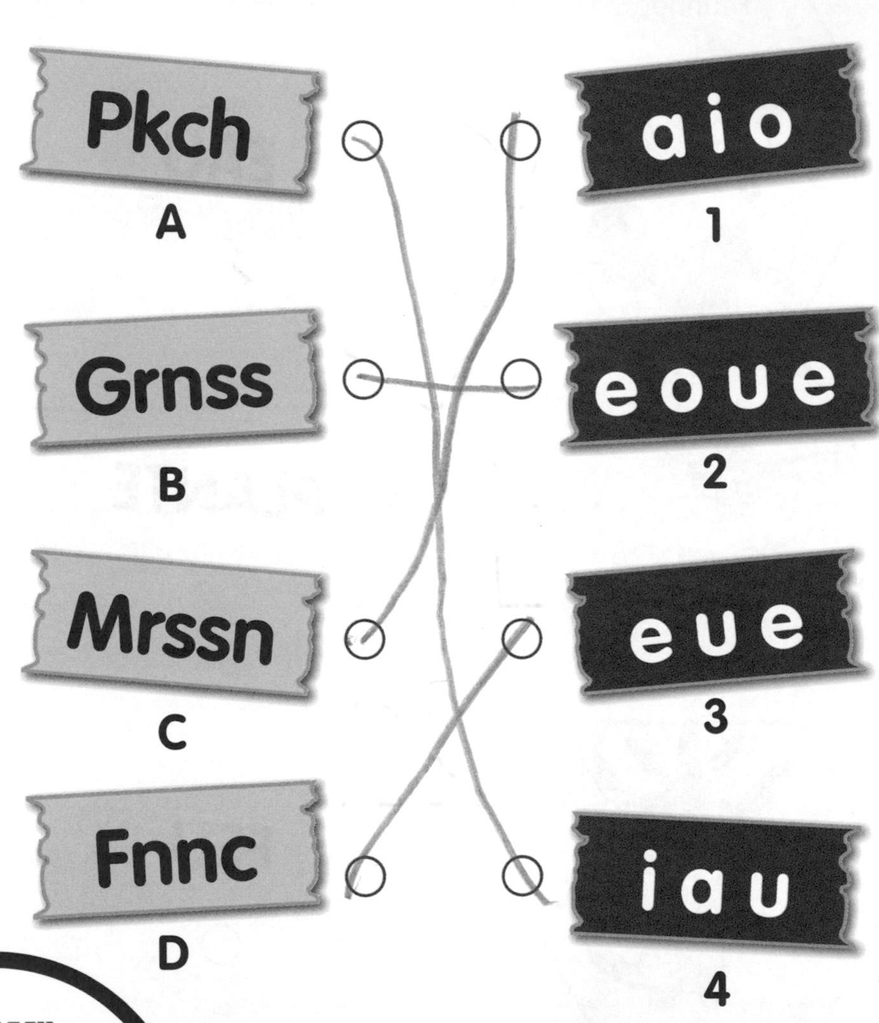

CONSEIL
Dans les propositions, les voyelles apparaissent dans l'ordre.

SUDOKU

Un Dresseur Pokémon doit toujours rester en alerte et le sudoku est un excellent exercice pour stimuler tes neurones.
Règle du jeu : chaque rangée doit contenir les chiffres de 1 à 9.

Attention : les chiffres ne peuvent apparaître qu'une seule fois dans chaque ligne, chaque colonne et chaque sous-grille de neuf cases.

6		1	3		9		4	
9	3	7	8	4	1	5		6
2	4			7	6			
8	1		6	3	5		7	
5	9	4			7	6	3	8
7	6	3		8		2	1	
4	2	5	7	6			8	1
3		9		5		7		4
1	7	6		9			5	2

• COLORIAGE •

Prismillon est bien pâle ! Heureusement, il peut compter sur toi pour retrouver toutes ses couleurs d'origine. Aide-toi du modèle.

• ÉVOLUTION •

Connais-tu bien les Pokémon de type Feu ?
Pour le savoir, reconstitue cette chaîne évolutive.

A

B

C

• TEST •

Connais-tu bien Marisson ?

1. À quel type de Pokémon appartient-il ? ....

2. À quelle catégorie de Pokémon appartient-il ? ....

3. Quelle est sa chaîne évolutive (deux réponses attendues) ? ....
   ....

4. Quelles sont ses friandises préférées ?
   ....

5. Combien de piquants a-t-il sur la tête ? ....

6. De quelle couleur est le bout de sa queue ?
   ....

7. Quelle est la taille de Marisson ? ....

8. Quel est le poids de Marisson ? ....

9. Quelle est la particularité de ses piquants ?
   ....

10. Quels sont ses talents ?
    ....
    ....

ASTUCE
On retrouve Marisson bien souvent dans ce livre.

• MÉLI-MÉLO •

Que de Marisson ! Sauras-tu les compter ?

• POKÉMON CROISÉS •

Creusons-nous un peu les méninges ! Sauras-tu remplir cette grille avec les dix noms de Pokémon correspondants aux définitions ?

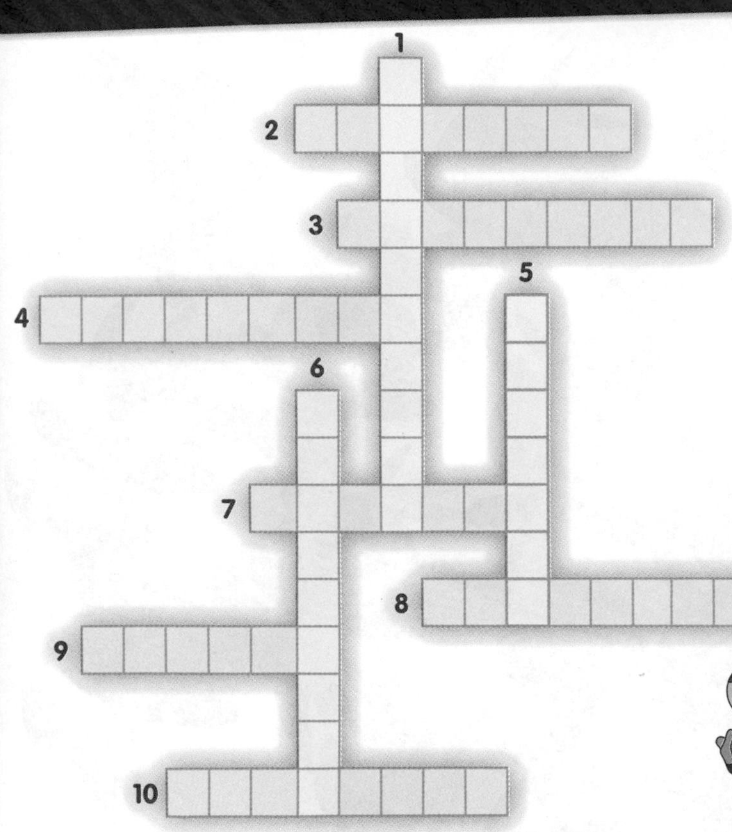

1. Dernière évolution de Lépidonille.
2. Pokémon de type Plante dont la tête comporte sept piquants souples.
3. Pokémon reconnaissable à l'apparence osseuse de sa tête.
4. Évolution de Croâporal.
5. Pokémon le plus célèbre.
6. Pokémon de type Eau (indice : évolue en Croâporal).
7. Pokémon de type Feu évoluant en Roussil.
8. Pokémon de type Normal pouvant changer de forme si on le toilette.
9. Évolution d'un Pokémon très célèbre.
10. Pokémon de type Normal pouvant creuser des terriers.

• DÉTECTIVE •

Comme Sacha, tu es imbattable pour observer les Pokémon. Prouve-le en reliant le bon Pokémon au détail qui lui appartient.

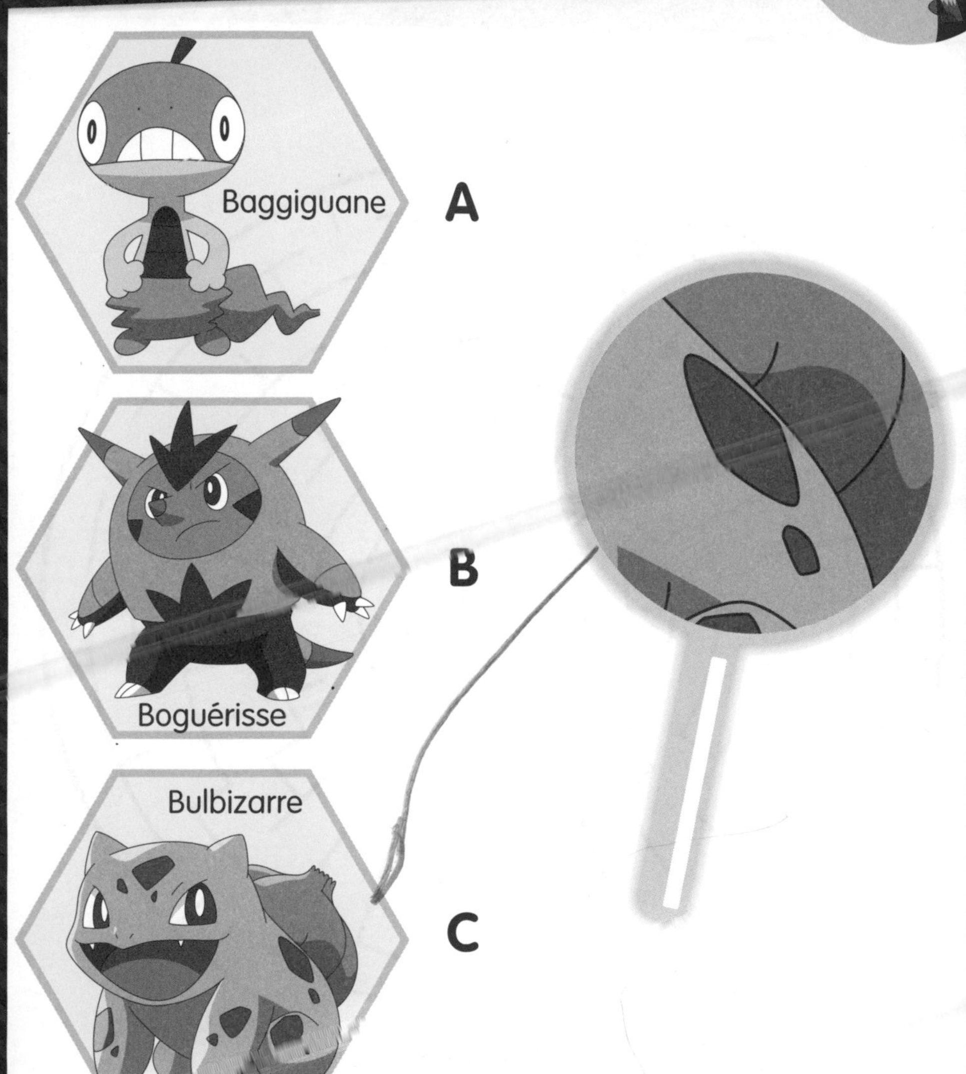

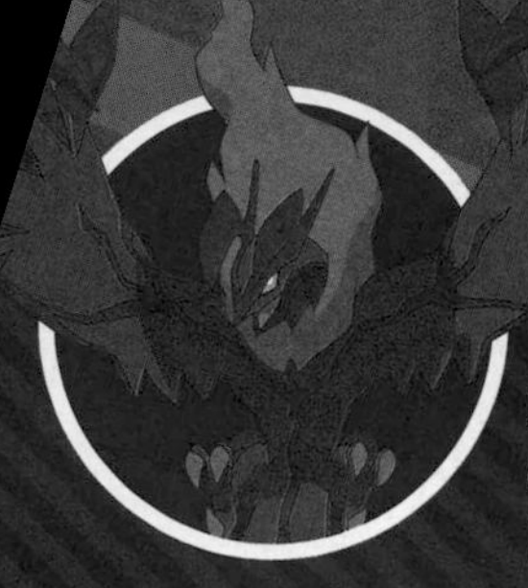

• LABYRINTHE •

Pikachu a besoin de vitamines pour être en forme et, pour cela, doit consulter l'Infirmière Joëlle. Mais il doit d'abord traverser ce labyrinthe pour la rejoindre… Sauras-tu trouver le bon chemin ?

• JEU D'OMBRES •

Quel ennui ! Feunnec a perdu son ombre !
Sauras-tu retrouver celle qui lui appartient ?

• CHERCHER L'INTRUS •

Un seul de ces Pokémon est de type Eau.
Sauras-tu le retrouver?

• SUDOKU •

Remplis cette grille de sudoku pour voir apparaître en diagonale le nom d'un Pokémon. Règle du jeu : chaque rangée doit contenir les lettres A, B, E, I, N, R, U, V et Y.

Attention : les lettres ne peuvent apparaître qu'une seule fois dans chaque ligne, chaque colonne et chaque sous-grille de neuf cases.

	I	E	U		A	V		N
V		Y	I	N	B		A	U
	A		V	E		I	Y	
U	E	R		A	N	B		
A		I	B		U	Y		R
	B	V	R	I		N	U	A
E		A		U	I		B	Y
I		B	E		Y	A		V
R	Y		A	B		U	I	

• CODE SECRET •

Sacha ne se souvient plus de sa mission. Pourtant, en tant que Dresseur Pokémon, il devrait la connaître. Peux-tu l'aider en déchiffrant ce code secret?

A _ _ RA _ _ R

_ OUS L _ S

_ OK _ MON

T	P	E

• POKÉMON MÊLÉS •

Quelle pagaille ! Tous ces Pokémon sont mélangés.
Retrouve-les dans cette grille.

Pikachu
Grenousse
Marisson
Feunnec
Chevroum
Dracaufeu
Flambusard
Pitrouille

• À CROQUER ! •

Un Dresseur Pokémon se doit de connaître les Pokémon sur le bout des doigts ! Sauras-tu compléter ce dessin ?

• RANGE TES POKÉMON ! •

Croâporal et Amphinobi sont les deux évolutions de Grenousse. Sauras-tu les retrouver dans le bon ordre ?

• PUZZLE •

Choisis les bonnes pièces de puzzle
pour reconstituer l'image de Marisson.

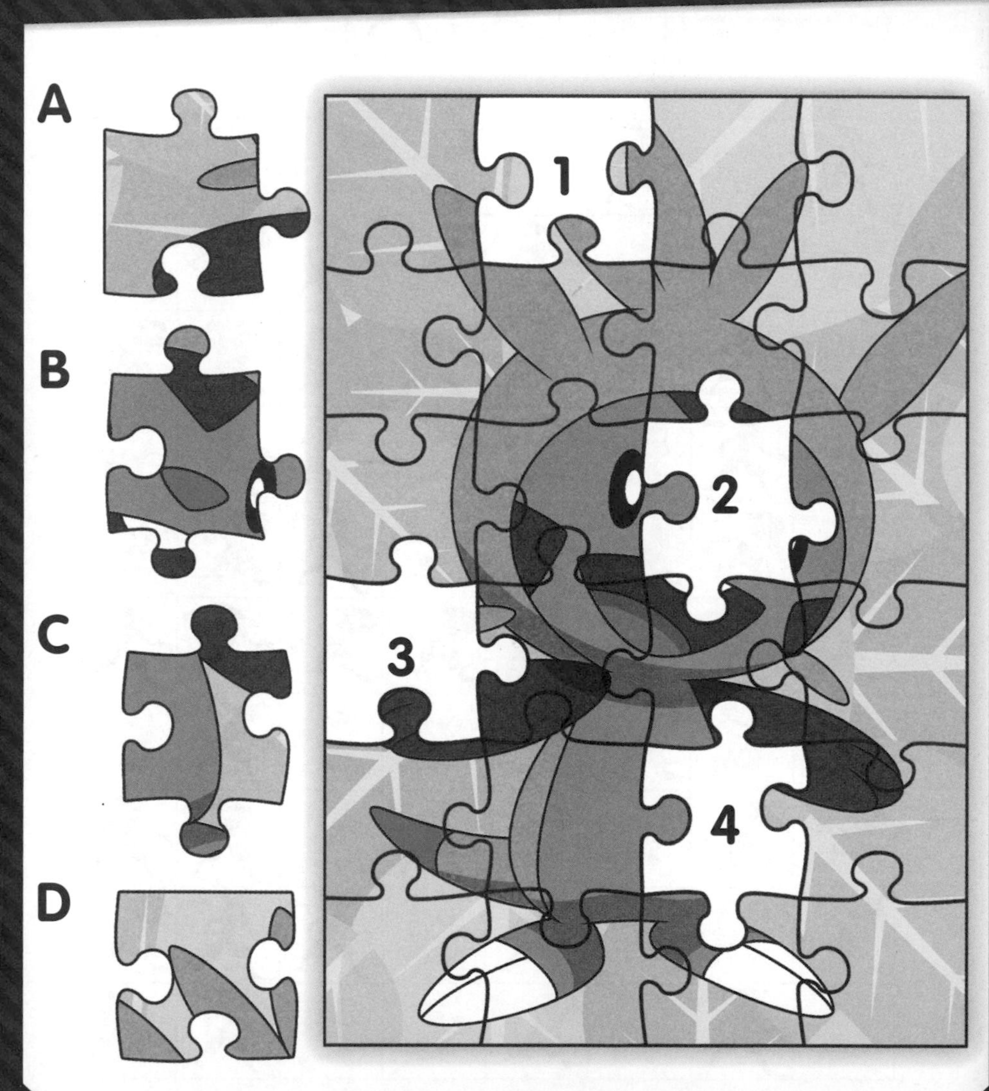

• TALENT •

Chaque Pokémon a un talent. Relie chaque Pokémon au talent qui lui est propre.

TORRENT

• C'EST QUOI CE CHARABIA ? •

Voici une liste de mots qui n'ont rien à voir avec les Pokémon. Pourtant, si tu prends les premières lettres de chacun d'entre eux et que tu remets celles-ci dans le bon ordre, tu trouveras le nom d'un Pokémon.

Itinéraire
Cheval
Karaté
Hélicoptère
Arbre
Utilité
Panda

....

• SUDOKU •

Un Dresseur Pokémon doit toujours rester en alerte et le sudoku est un excellent exercice pour stimuler tes neurones. Règle du jeu : chaque rangée doit contenir les chiffres de 1 à 9.

Attention : les chiffres ne peuvent apparaître qu'une seule fois dans chaque ligne, chaque colonne et chaque sous-grille de neuf cases.

	8	7	3	1		6	5	9
	5		7	6	4	3	8	1
		6					4	2
6	7	8	1				2	5
5	3	4		2	6	1		
1	2		5	4	7	8	6	3
	4		2	9		5	7	6
	6	1	4	7	5	9	3	
		5			3	2	1	

• COLORIAGE •

Un bon Dresseur Pokémon doit connaître
les couleurs des Pokémon sur le bout des doigts !
Sauras-tu retrouver celles de Feunnec ?

• ÉVOLUTION •

Connais-tu bien les Pokémon de type Plante ? Pour le savoir, reconstitue cette chaîne évolutive.

• TEST •

Connais-tu bien Grenousse?

1. À quel type appartient-il? ....

2. À quelle catégorie de Pokémon appartient-il? ....

3. Quelle est sa chaîne évolutive (deux réponses attendues)?
   ....

4. Quelle est la taille de Grenousse?
   ....

5. De quelle couleur sont les extrémités de ses pattes avant? ....

6. De quelle couleur sont ses yeux? ....

7. Qu'est-ce qui le protège des attaques?
   ....

8. Quel est le poids de Grenousse ?
   ....

9. De quelle région vient-il? ....

10. Quels sont ses talents?
    ....
    ....

ASTUCE
On retrouve Grenousse bien souvent dans ce livre.

• MÉLI-MÉLO •

Que de Feunnec ! Sauras-tu les compter ?

• POKÉMON CROISÉS •

Creusons-nous un peu les méninges !
Sauras-tu remplir cette grille avec les dix noms de Pokémon correspondants aux définitions ?

1. Pokémon de type Psy dont le corps ressemble à une longue robe blanche.
2. Évolution d'Azurill.
3. Pokémon de type Poison pouvant empoisonner l'adversaire par simple contact.
4. Le seul Pokémon capable de parler.
5. Évolution de Rondoudou.
6. Évolution d'Évoli, Pokémon de type Glace.
7. Pokémon légendaire aux bois très colorées.
8. Évolution d'Évoli, Pokémon de type Psy.
9. Pokémon de type Électrik au pelage hérissé, évolution d'Évoli.
10. Pokémon adorant grignoter des sucreries. Cette habitude lui donne un pelage doux et sucré comme du coton.

• DÉTECTIVE •

Comme Sacha, tu es imbattable pour observer les Pokémon.
Prouve-le en reliant le bon Pokémon au
détail qui lui appartient !

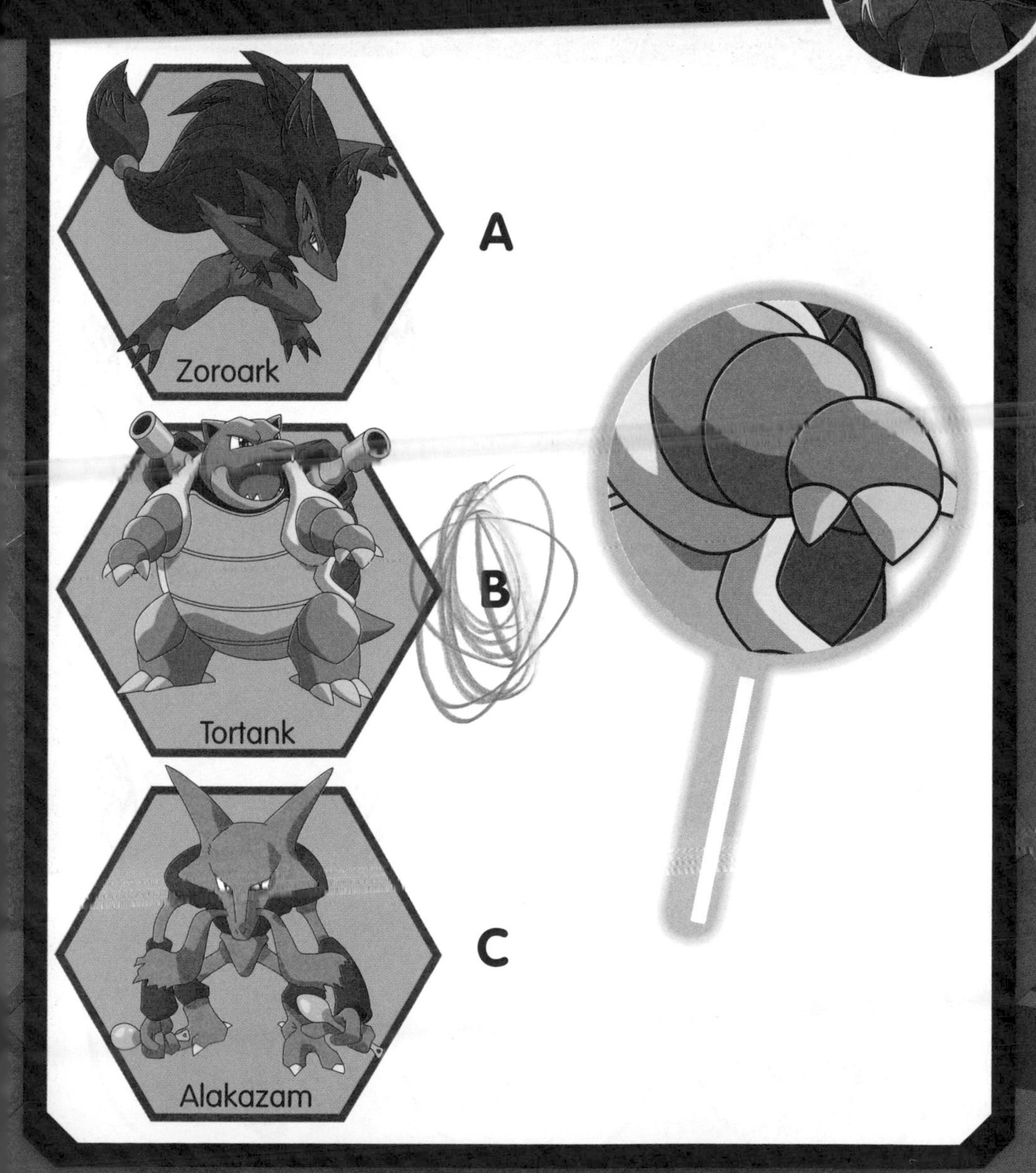

• LABYRINTHE •

Un Pokémon vient de choisir Sacha comme Dresseur. Sauras-tu le trouver en suivant uniquement les symboles du type Eau ?

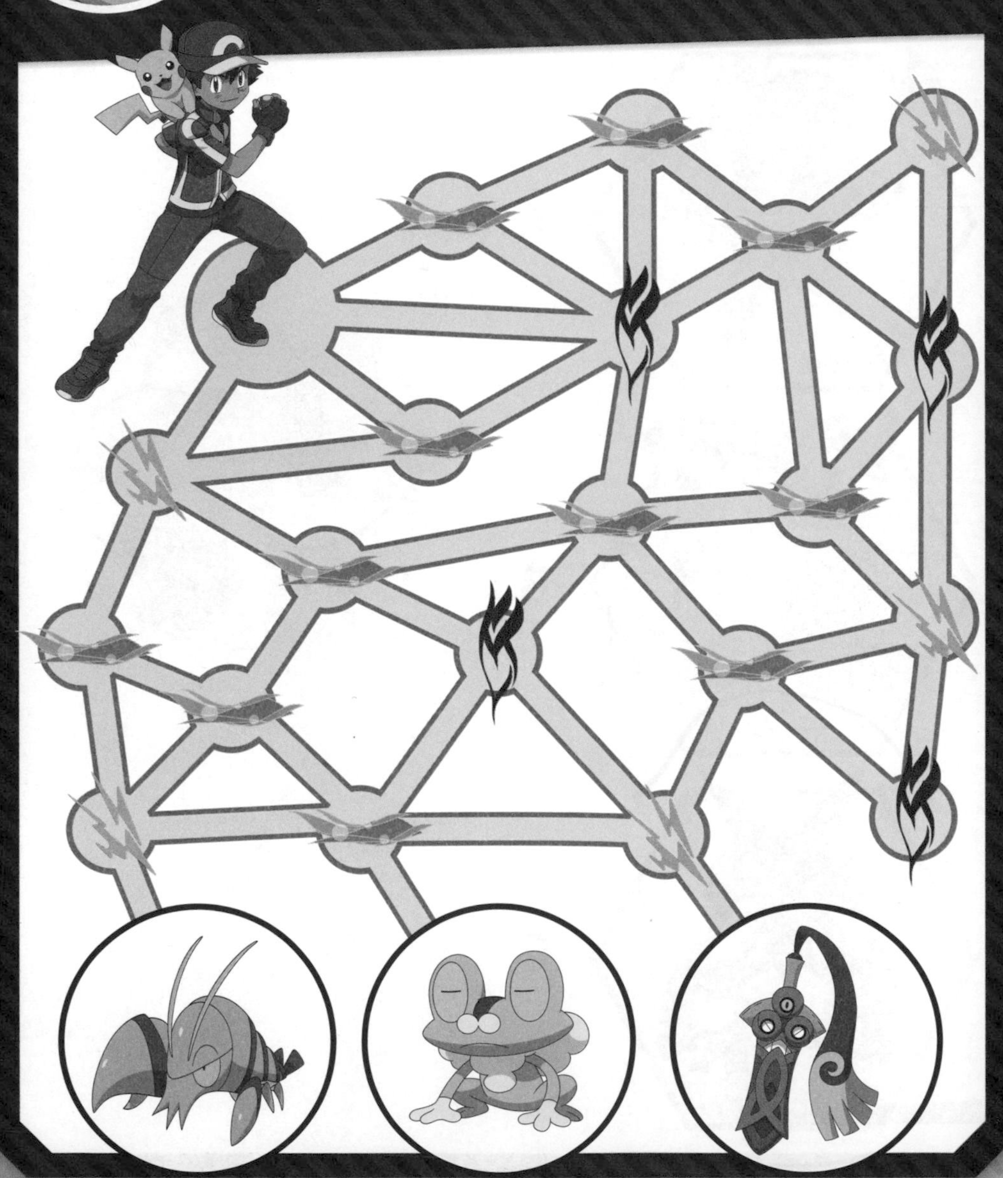

• JEU D'OMBRES •

Il y a un grand soleil et Grenousse peut enfin voir son ombre. Sauras-tu trouver laquelle lui correspond ?

B

A

C

• CHERCHER L'INTRUS •

Un seul de ces Pokémon n'est pas de type Feu.
Sauras-tu le retrouver?

• EURÊKA ! •

Un bon Dresseur Pokémon se doit d'être un champion des énigmes. Sauras-tu résoudre celle-ci ?

?

• CODE SECRET •

Pikachu est tout excité ! En effet, il a repéré un nouveau Pokémon. Sauras-tu deviner lequel ?

A = Piika
B = Pikaachu
C = Pikaa
D = Piikachu
E = Pikachu
G = Pika
H = Piikaachuu
N = Piikaa
O = Piiiiiika
S = Piiiikachu
R = Piiika
U = Pikachuuu

• POKÉMON MÊLÉS •

Quelle pagaille ! Tous ces Pokémon sont mélangés. Retrouve-les dans cette grille.

Herbizarre
Lucario
Mewtwo

Pharamp
Pyroli
Reptincel

Salamèche
Zoroark

Ç	W	D	C	R	X	B	O	D	P	J	Y	K	R	G	U	C	X	L	A
X	F	V	K	T	A	C	R	Ç	F	W	J	I	D	C	N	D	T	F	N
S	Q	C	A	V	D	H	A	L	A	Y	Z	J	A	Q	D	U	Ç	G	B
T	Y	T	X	F	H	D	E	E	T	J	D	X	I	T	G	T	Y	R	B
M	O	W	L	N	O	U	Ç	R	A	K	Y	O	L	R	A	B	Z	K	O
K	R	T	U	Q	K	B	C	M	B	Y	N	I	R	F	W	S	Y	E	X
Z	Q	B	N	A	M	Q	X	S	P	I	A	K	E	J	Y	W	H	R	V
O	L	K	N	Z	K	L	A	Y	O	Y	Z	R	K	H	Ç	W	Q	P	H
X	M	V	L	R	Ç	L	I	L	H	B	R	A	J	U	I	I	M	H	Z
X	G	V	Q	G	A	V	E	F	X	R	S	O	R	N	I	S	R	A	V
N	W	G	I	M	O	V	F	L	H	T	H	R	L	R	L	I	D	R	D
A	D	D	E	H	Z	F	U	K	M	M	O	O	W	I	E	D	N	A	B
Ç	S	C	B	W	K	C	U	A	T	V	J	Z	O	W	T	W	E	M	I
F	H	V	O	Y	A	B	S	S	V	J	X	Z	R	T	V	Ç	R	P	J
E	P	H	W	R	L	E	C	N	I	T	P	E	R	Q	R	M	V	U	I
M	N	L	I	R	M	B	M	V	Ç	V	Z	A	E	J	J	G	M	P	Z
G	D	O	Ç	F	T	D	C	Y	O	K	C	Ç	P	K	M	T	P	Ç	Ç
M	J	X	H	K	J	D	Ç	W	A	Z	T	Ç	M	X	Q	Z	Ç	Y	U
H	C	H	O	X	U	S	X	W	U	T	A	G	X	Y	G	P	Z	X	O
D	A	D	R	A	M	W	N	V	H	K	Y	Z	S	C	G	U	K	R	Q

• RANGE TES POKÉMON ! •

Boguérisse et Blindépique sont les deux évolutions de Marisson. Sauras-tu les retrouver dans le bon ordre.

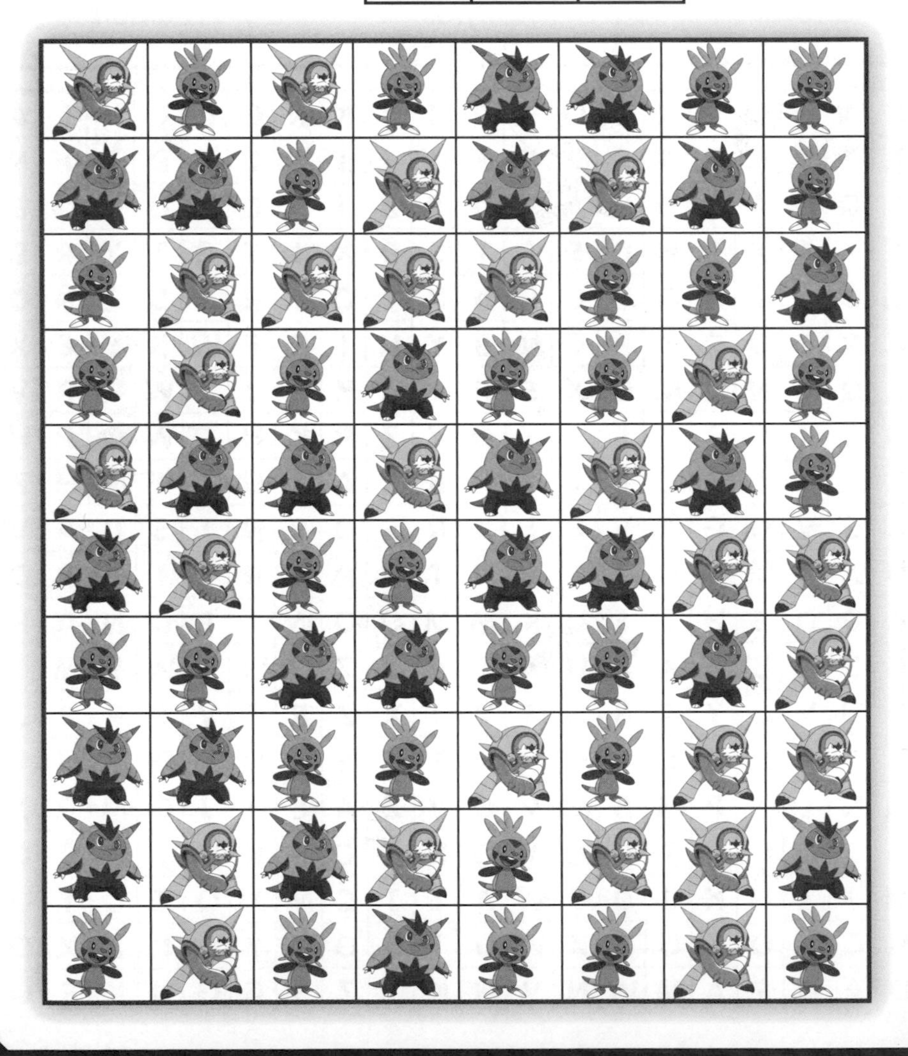

• CHACUN À SA PLACE ! •

Sauras-tu diviser ce carré en quatre parts égales ?
Attention : chaque part doit contenir quatre
Pokémon différents.

• PUZZLE •

Choisis les bonnes pièces de puzzle pour reconstituer l'image de ce groupe de Pokémon.

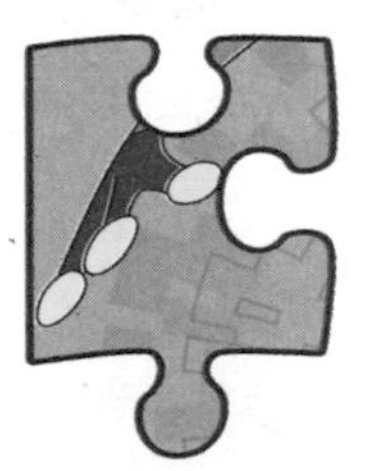

A B C D

• TALENT •

Chaque Pokémon appartient à un type bien défini.
Relie chaque Pokémon au bon type !

• POINT COMMUN •

Tous ces Pokémon ont un point commun. Lequel ?

• SUDOKU •

Un Dresseur Pokémon doit toujours rester en alerte et le sudoku est un excellent exercice pour stimuler tes neurones. Règle du jeu : chaque rangée doit contenir les chiffres de 1 à 9.

Attention : les chiffres ne peuvent apparaître qu'une seule fois dans chaque ligne, chaque colonne et chaque sous-grille de neuf cases.

	1	3		7	6			5
7	5	2			4	8	6	9
8		6		5	9	7		3
6	2	1	4				3	8
3	9			6	8	4	7	2
4	8		5	2	3	6	9	1
5	7					3	2	4
	6	4		3	5	1		7
1		8				9	5	

• COLORIAGE •

Gardevoir a perdu toutes ses couleurs.
Seras-tu capable de le colorier fidèlement?

ASTUCE
Certaines parties
ne sont pas à colorier...
Sauras-tu t'en souvenir ?

• ÉVOLUTION •

Connais-tu bien les Pokémon de type Eau ? Pour le savoir, reconstitue cette chaîne évolutive.

A

?

B

Amphinobi

C

• TEST •

Connais-tu bien Feunnec?

1. À quel type appartient-il? ....

2. À quelle catégorie de Pokémon appartient-il? ....

3. Quelle est sa chaîne évolutive?
....
....

4. Quelle est la taille de Feunnec ?
....

5. De quelle couleur est le bout de sa queue?
....

6. De quelle couleur sont ses yeux? ....

7. Qu'est-ce qui s'échappe de ses oreilles?
....

8. Quel est le poids de Feunnec ?
....

9. Qu'adore-t-il grignoter? ....

10. Quel est son talent?
....

ASTUCE
On retrouve Feunnec bien souvent dans ce livre.

• MÉLI-MÉLO •

Que de Grenousse ! Sauras-tu les compter ?

• POKÉMON CROISÉS •

Creusons-nous un peu les méninges ! Sauras-tu remplir cette grille avec les dix noms de Pokémon correspondants aux définitions ?

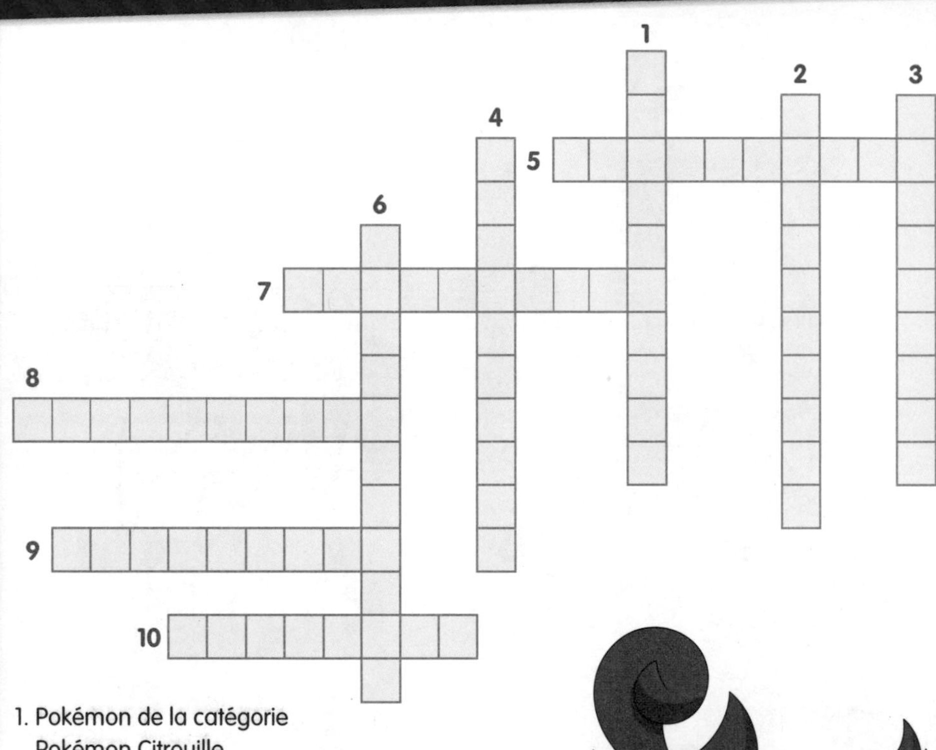

1. Pokémon de la catégorie Pokémon Citrouille.
2. Pokémon évoluant en Braisillon.
3. Évolution de Kirlia.
4. Pokémon de type Eau à pinces.
5. Dernière évolution de Fantominus.
6. Marisson, Boguérisse et ...
7. Pokémon de la catégorie Pokémon Lionceau.
8. Pokémon de type Feu et Vol.
9. Dernière évolution de Grenousse.
10. Tortank est sa seconde évolution.

• DÉTECTIVE •

Comme Sacha, tu es imbattable pour observer les Pokémon. Prouve-le en reliant le bon Pokémon au détail qui lui appartient !

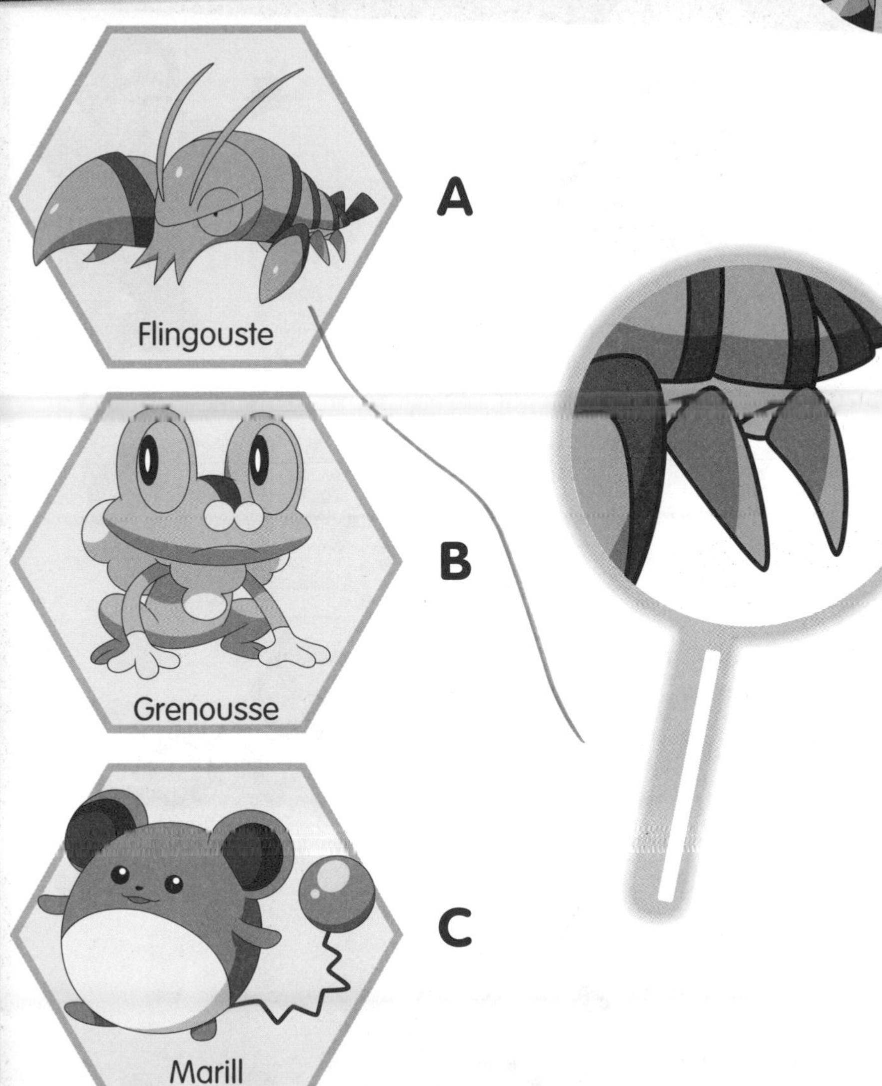

• LABYRINTHE •

Sacha et Lem sont prêts pour un combat.
Guide l'attaque Éclair de Pikachu jusqu'à Sapereau,
un Pokémon de type Normal.

• JEU D'OMBRES •

Marisson attaque plus vite que son ombre… Encore faudrait-il savoir laquelle est la sienne ! Parmi les propositions suivantes, sauras-tu trouver la bonne ?

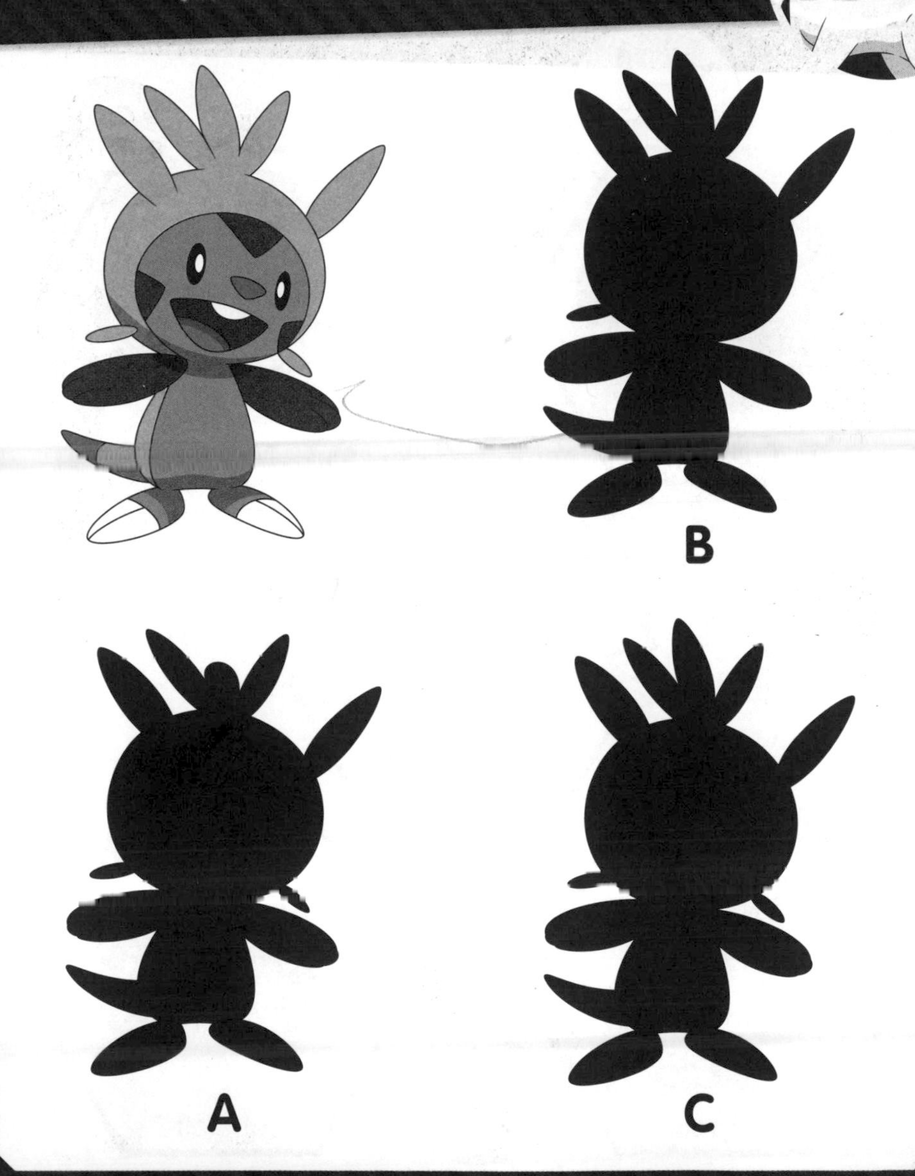

• CHERCHER L'INTRUS •

Un seul de ces Pokémon est de type Plante.
Sauras-tu le retrouver?

• EURÊKA ! •

Observe bien ces symboles. Sauras-tu aider Lem à résoudre cette énigme ?

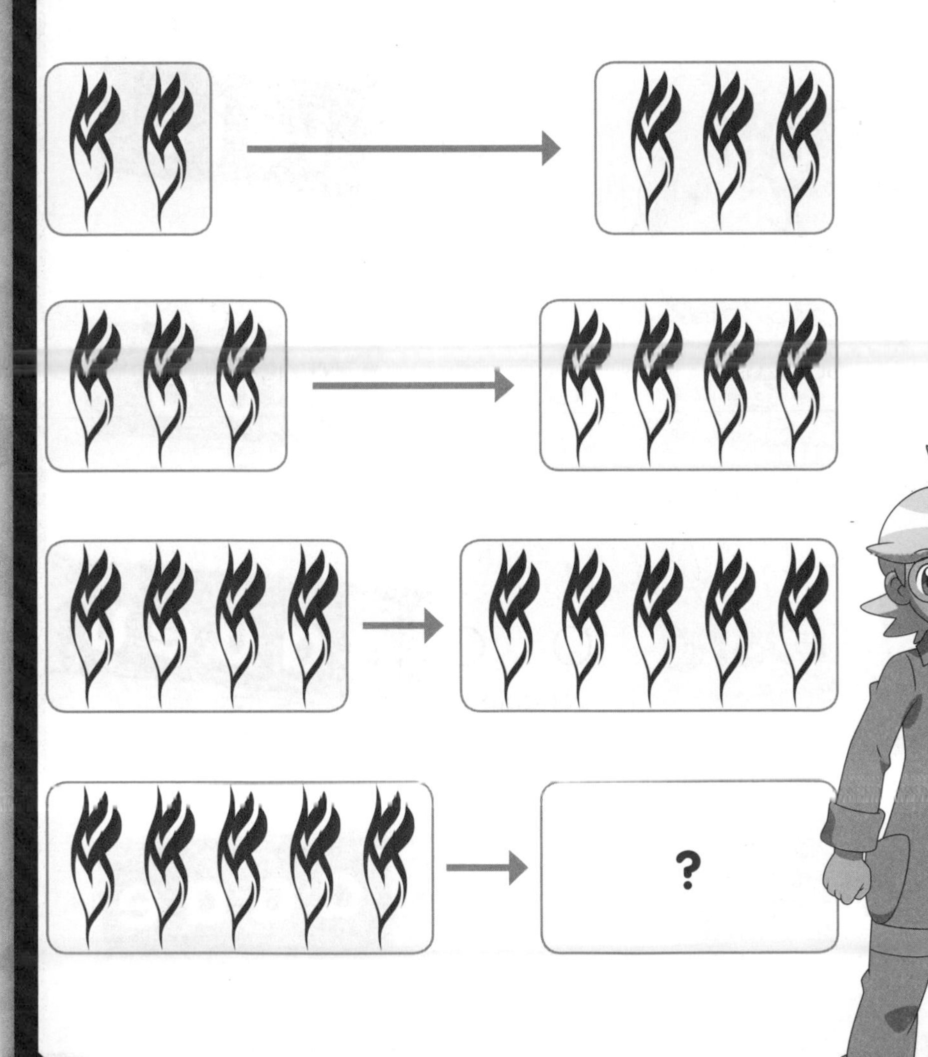

• MAIS OÙ SONT LES VOYELLES ? •

Ces noms de Pokémon ont perdu leurs voyelles.
Heureusement, tu es là pour les retrouver !

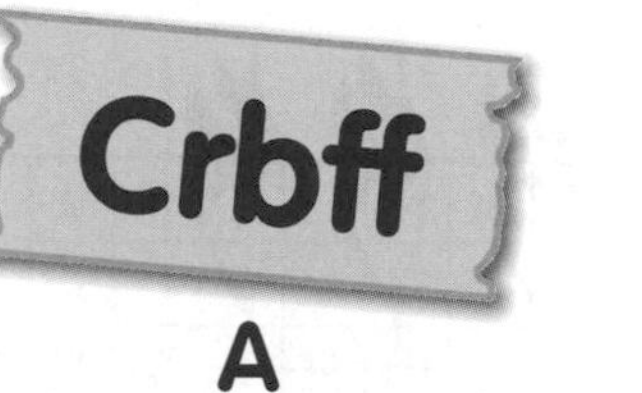

A 1

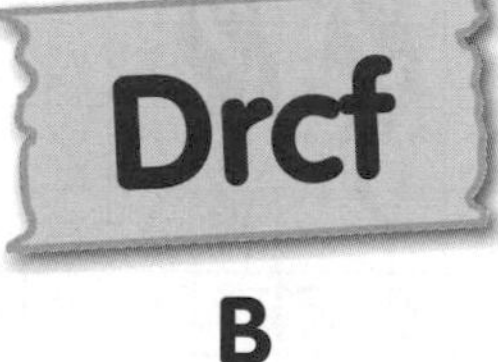

B 2

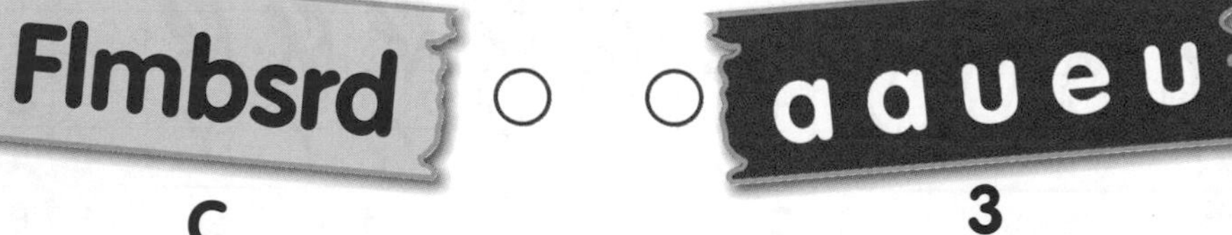

C 3

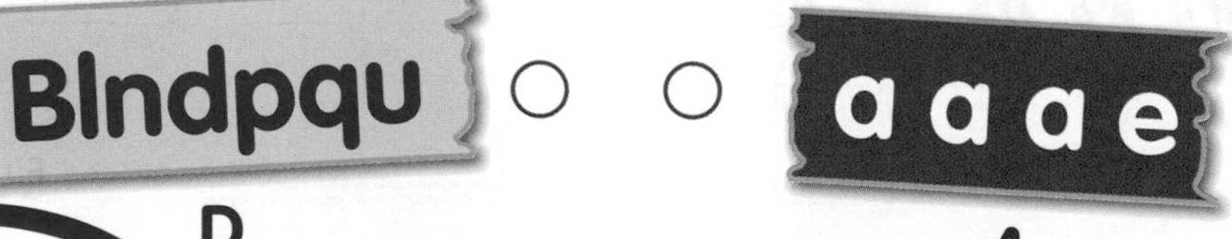

D 4

CONSEIL
Dans les propositions, les voyelles apparaissent dans l'ordre.

• POKÉMON MÊLÉS •

Quelle pagaille ! Tous ces Pokémon sont mélangés.
Retrouve-les dans cette grille.

Flambusard
Monorpale
Pitrouille
Sepiatroce
Rondoudou
Pandarbare
Ossatueur
Galvaran

X	F	G	U	G	M	W	O	J	U	H	G	N	N	Q	C	H	R	Z	R
T	W	A	K	E	Y	K	J	N	W	B	U	O	N	M	T	C	A	M	K
F	Ç	L	F	Ç	C	F	J	H	F	L	S	E	W	H	Ç	T	K	H	Ç
X	T	V	L	J	G	O	P	D	C	S	Y	L	E	U	N	E	O	G	L
B	F	A	K	E	Y	F	R	Y	A	E	T	S	S	G	I	S	L	E	H
B	I	R	X	N	A	R	Z	T	B	L	C	X	Z	C	K	T	Q	J	R
L	W	A	E	Y	E	S	U	P	A	U	D	X	Y	V	Q	Ç	X	J	O
C	A	N	T	D	J	E	V	H	J	I	L	B	P	V	H	I	H	N	T
J	G	A	M	Q	U	R	X	C	T	A	P	N	S	K	V	Y	T	N	C
M	D	S	E	R	I	A	F	A	G	Q	M	E	V	H	J	M	Ç	T	E
Z	Z	F	L	A	M	B	U	S	A	R	D	Ç	S	T	A	E	P	A	L
H	X	H	O	F	B	R	R	B	T	W	O	T	V	M	Y	R	A	B	L
X	U	E	A	R	H	A	U	O	D	U	O	D	N	O	R	M	P	Q	I
I	Ç	D	M	R	H	D	W	D	R	P	T	C	I	T	Q	Q	L	A	U
E	E	E	T	U	Ç	N	F	Z	Y	T	S	H	U	E	X	R	S	E	O
N	C	A	L	Q	O	A	S	K	W	I	R	I	A	J	Ç	A	R	Z	R
O	Q	C	R	F	U	P	J	X	Z	A	A	M	W	C	P	O	Q	D	T
M	Ç	B	W	M	O	N	O	R	P	A	L	E	K	D	B	Ç	O	H	I
H	A	O	K	A	X	L	W	V	I	L	M	T	G	R	U	S	B	D	P
P	J	T	J	Ç	F	Ç	B	S	B	A	O	B	M	K	U	H	F	E	D

• À CROQUER ! •

Un Dresseur Pokémon se doit de connaître les Pokémon sur le bout des doigts ! Sauras-tu compléter ce dessin ?

• POKÉDEX EN MIETTES ! •

Catastrophe ! Le Pokédex de Sacha est cassé !
Toutes ses données sur huit Pokémon de type Feu
sont mélangées. Sauras-tu les recomposer ?

SALA CAUFEU NEC
MÈCHE
PY BUSARD DRA
HÉLION
GOUP CEAU
ELIN SIL
ROLI FLAM ROUS FEUN

• POKÉ BALL MYSTÈRE •

Sacha a trouvé une Poké Ball égarée. Heureusement, le Dresseur a laissé quelques informations à propos de ce qu'elle contient. Lis bien les indices et devine quel Pokémon y est enfermé.

- **Est l'évolution de Croâporal**
- **Pokémon de type Eau**
- **Ressemble à un ninja**
- **Pokémon particulièrement habile pour l'escalade.**

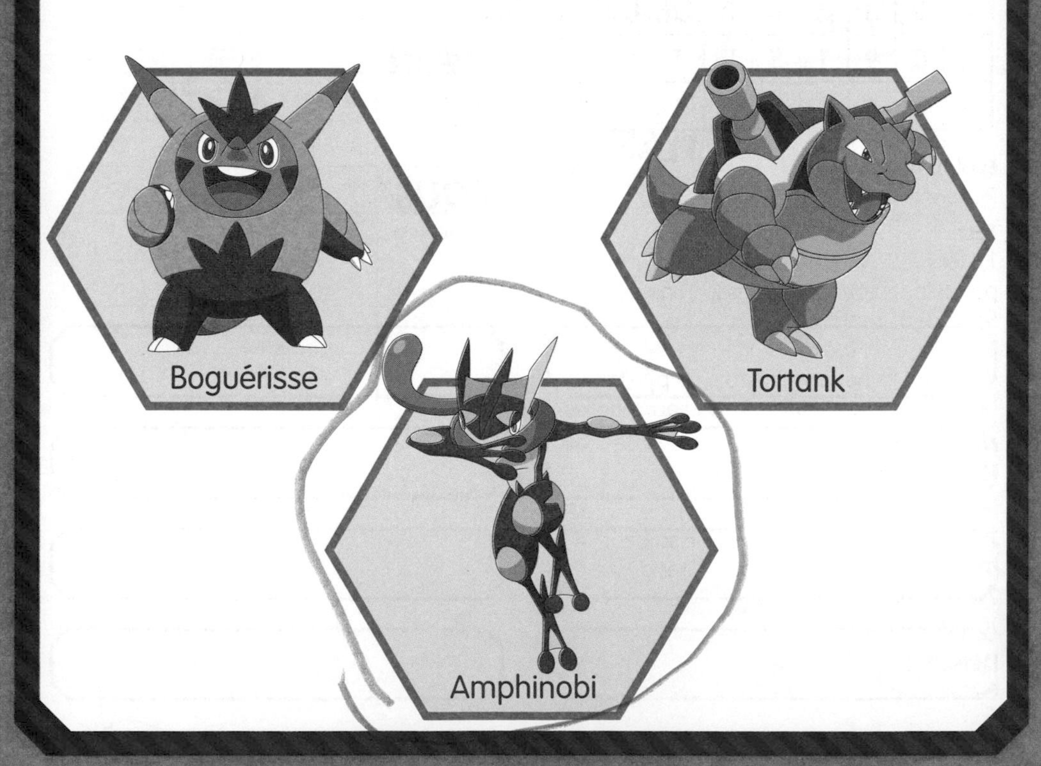

Puzzle page 4
A-3 ; B-2 ; C-1 ; D-4.

Type 5
Marisson/Plante ; Feunnec/Feu ; Aquali/ Eau.

Mais où sont les voyelles ? 6
A-4 ; B-2 ; C-1 ; D-3.

Sudoku 7

6	5	1	3	2	9	8	4	7
9	3	7	8	4	1	5	2	6
2	4	8	5	7	6	1	9	3
8	1	2	6	3	5	4	7	9
5	9	4	2	1	7	6	3	8
7	6	3	9	8	4	2	1	5
4	2	5	7	6	3	9	8	1
3	8	9	1	5	2	7	6	4
1	7	6	4	9	8	3	5	2

Évolution 9
Réponse A.

Test 10
1. Plante ; 2. Bogue ; 3. Boguérisse, puis Blindépique ; 4. Les macarons de Serena ; 5. Sept ;
6. Orange ; 7. 0,4 m ; 8. 9,0 kg ;
9. Quand ils deviennent durs, ils peuvent briser un rocher ; 10. Engrais et pare-balles.

Méli-mélo 11
15 Marisson.

Pokémon croisés 12
1. Prismillon ; 2. Marisson ; 3. Ossatueur ;
4. Amphinobi ; 5. Pikachu ; 6. Grenousse ;
7. Feunnec ; 8. Couafarel ; 9. Raichu ;
10. Sapereau.

Détective 13
C-Bulbizarre.

Labyrinthe 14

Jeu d'ombres 15
L'ombre A.

Chercher l'intrus 16
Amphinobi.

Sudoku 17

B	I	E	U	Y	A	V	R	N
V	R	Y	I	N	B	E	A	U
N	A	U	V	E	R	I	Y	B
U	E	R	Y	A	N	B	V	I
A	N	I	B	V	U	Y	E	R
Y	B	V	R	I	E	N	U	A
E	V	A	N	U	I	R	B	Y
I	U	B	E	R	Y	A	N	V
R	Y	N	A	B	V	U	I	E

• SOLUTIONS •

Code secret — 18

« Attraper tous les Pokémon !»

Pokémon mêlés — 19

Q	J	B	M	Y	U	P	W	O	O	E	D	Q	V	O	S	Ç	P	K	B
T	T	D	F	P	Y	O	Z	J	A	P	M	Q	W	K	Y	L	V	J	N
U	L	O	C	J	M	Ç	N	J	N	J	U	F	R	D	A	F	I	S	C
S	U	G	E	F	R	T	O	Y	N	Z	O	L	C	G	K	B	Ç	V	P
I	D	T	S	M	K	J	F	G	Ç	W	R	A	D	U	G	U	O	W	I
T	T	C	S	O	K	A	S	M	D	L	V	M	V	E	C	J	E	O	T
P	V	E	U	Ç	C	Ç	Y	L	V	E	E	B	Y	F	V	C	O	E	R
O	K	N	O	Z	Ç	D	O	I	J	S	H	U	F	U	R	R	I	G	O
C	O	N	N	G	U	Q	R	P	Y	K	C	S	K	A	H	S	W	G	U
C	X	U	E	I	Ç	T	I	Ç	F	D	J	A	L	C	D	E	Z	A	I
W	Y	E	R	D	U	N	L	H	E	D	A	R	M	A	H	P	W	M	L
M	J	F	G	G	I	Q	B	T	G	E	P	D	Y	R	J	G	Ç	F	L
U	D	Q	G	O	X	M	K	T	H	N	T	Q	V	D	J	M	M	F	E
M	H	E	R	H	U	Q	U	I	S	A	G	I	R	W	A	G	O	H	G
X	I	C	Y	M	K	I	Z	V	E	U	I	O	I	R	S	E	W	A	E
U	J	L	A	A	R	W	Ç	J	C	E	T	S	I	W	N	H	V	O	W
Z	B	D	E	K	Q	F	S	P	H	A	Ç	S	L	B	C	Z	Ç	G	U
F	G	Y	B	J	I	D	L	M	P	G	S	O	O	T	G	E	M	F	P
N	N	D	R	Y	V	P	M	C	L	O	E	N	L	I	M	W	L	W	S
I	G	M	I	J	R	O	Y	G	N	X	T	F	I	G	V	M	F	V	J

À croquer ! — 20

Range tes Pokémon ! — 21

Puzzle — 22

A-3 ; B-2 ; C-4 ; D-1.

Capacité — 23

Noctali/Synchro ; Carabaffe/Torrent ; Dracaufeu/Brasier.

C'est quoi ce charabia ? — 24

Pikachu.

Sudoku — 25

4	8	7	3	1	2	6	5	9
9	5	2	7	6	4	3	8	1
3	1	6	9	5	8	7	4	2
6	7	8	1	3	9	4	2	5
5	3	4	8	2	6	1	9	7
1	2	9	5	4	7	8	6	3
8	4	3	2	9	1	5	7	6
2	6	1	4	7	5	9	3	8
7	9	5	6	8	3	2	1	4

Évolution 27

Réponse B.

Test 28

1. Eau ; 2. Crapobulle ; 3. Croâporal, puis Amphinobi ; 4. Grenousse mesure 0,4 m ; 5. Blanc ;
6. Jaune ; 7. La mousse qu'il produit pour protéger son corps ; 8. 9,0 kg ; 9. Kalos ;
10. Torrent et protéen.

Méli-mélo 29

17 Feunnec.

Pokémon croisés 30

1. Gardevoir ; 2. Marill ; 3. Venalgue ;
4. Miaouss ; 5. Grodoudou ; 6. Givrali ;
7. Xerneas ; 8. Mentali ; 9. Voltali ;
10. Sucroquin.

Détective 31

B. Tortank

Labyrinthe 32

Jeu d'ombres 33

L'ombre B.

Chercher l'intrus 34

Noctali.

Eurêka ! 35

2 symboles Eau.

Code secret 36

Grenousse.

Pokémon mêlés 37

Ç	W	D	C	R	X	B	O	D	P	J	Y	K	R	G	U	C	X	L	A
X	F	V	K	T	A	C	R	Ç	F	W	J	I	D	C	N	D	T	F	N
S	Q	C	A	V	D	H	A	L	A	Y	Z	J	A	Q	D	U	Ç	G	B
T	Y	T	X	F	H	D	E	E	T	J	D	X	I	T	G	T	Y	R	B
M	O	W	L	N	O	U	Ç	R	A	K	Y	O	L	R	A	B	Z	K	O
K	R	T	U	Q	K	B	C	M	B	Y	N	I	R	F	W	S	Y	E	X
Z	Q	B	N	A	M	Q	X	S	P	I	A	K	E	J	Y	W	H	R	V
O	L	K	N	Z	K	L	A	Y	O	Y	Z	R	K	H	Ç	W	Q	P	H
X	M	V	L	R	Ç	L	I	L	H	B	R	A	J	U	I	I	M	H	Z
X	G	V	Q	G	A	V	E	F	X	R	S	O	R	N	I	S	R	A	V
N	W	G	I	M	O	V	F	L	H	T	H	R	L	R	L	I	D	R	D
A	D	D	E	H	Z	F	U	K	M	M	O	O	W	I	E	D	N	A	B
Ç	S	C	B	W	K	C	U	A	T	V	J	Z	O	W	T	W	E	M	I
F	H	V	O	Y	A	B	S	S	V	J	X	Z	R	T	V	Ç	R	P	J
E	P	H	W	R	L	E	C	N	I	T	P	E	R	Q	R	M	V	U	I
M	N	L	I	R	M	B	M	V	Ç	V	Z	A	E	J	J	G	M	P	Z
G	D	O	Ç	F	T	D	C	Y	O	K	C	Ç	P	K	M	T	P	Ç	Ç
M	J	X	H	K	J	D	Ç	W	A	Z	T	Ç	M	X	Q	Z	Ç	Y	U
H	C	H	O	X	U	S	X	W	U	T	A	G	X	Y	G	P	Z	Y	O
[illegible]	[illegible]	[illegible]	[illegible]	[illegible]	[illegible]	[illegible]	[illegible]	[illegible]	[illegible]	[illegible]	[illegible]	[illegible]	[illegible]	[illegible]	[illegible]	[illegible]	[illegible]	[illegible]	[illegible]

Range tes Pokémon ! 38

• SOLUTIONS •

Chacun à sa place ! 39

Puzzle 40

A-3 ; B-4 ; C-1 ; D-2

Type 41

Raichu/Électrik ; Roussil/Feu ; Amphinobi/Eau.

Point commun 42

Ce sont tous des évolutions d'Évoli.

Sudoku 43

9	1	3	8	7	6	2	4	5
7	5	2	3	1	4	8	6	9
8	4	6	2	5	9	7	1	3
6	2	1	4	9	7	5	3	8
3	9	5	1	6	8	4	7	2
4	8	7	5	2	3	6	9	1
5	7	9	6	8	1	3	2	4
2	6	4	9	3	5	1	8	7
1	3	8	7	4	2	9	5	6

Évolution 45

Réponse C.

Test 46

1. Feu ; 2. Renard ; 3. Roussil, puis Goupelin ;
4. Feunnec mesure 0,4 m ;
5. Rouge ; 6. Rouge ; 7. De l'air brûlant ;
8. 9,0 kg ; 9. Des brindilles ;
10. Brasier.

Méli-mélo 47

14 Grenousse.

Pokémon croisés 48

1. Pitrouille ; 2. Passerouge ; 3. Gardevoir ;
4. Flingouste ; 5. Ectoplasma ;
6. Blindépique ; 7. Hélionceau ;
8. Flambusard ; 9. Amphinobi ;
10. Carapuce.

Détective 49

A-Flingouste.

Labyrinthe 50

Jeu d'ombres 51

L'ombre C.

Chercher l'intrus 52

Bulbizarre.

• SOLUTIONS •

Eurêka ! **53**

6 symboles Feu.

Mais où sont les voyelles ? **54**

A-4 ; B-3 ; C-2 ; D-1.

Pokémon mêlés **55**

X	F	G	U	G	M	W	O	J	U	H	G	N	N	Q	C	H	R	Z	R
T	W	A	K	E	Y	K	J	N	W	B	U	O	N	M	T	C	A	M	K
F	Ç	L	F	Ç	C	F	J	H	F	L	S	E	W	H	Ç	T	K	H	Ç
X	T	V	L	J	G	O	P	D	C	S	Y	L	E	U	N	E	O	G	L
B	F	A	K	E	Y	F	R	Y	A	E	T	S	S	G	I	S	L	E	H
B	J	R	X	N	A	R	Z	T	B	L	C	X	Z	C	K	T	Q	J	R
L	W	A	E	Y	E	S	U	P	A	U	D	X	Y	V	Q	Ç	X	J	O
C	A	N	T	D	J	E	V	H	J	I	L	B	P	V	H	I	H	N	T
J	G	A	M	Q	U	R	X	C	T	A	P	N	S	K	V	Y	T	N	C
M	D	S	E	R	I	A	F	A	G	Q	M	E	V	H	J	M	Ç	T	E
Z	Z	F	L	A	M	B	U	S	A	R	D	Ç	S	T	A	E	P	A	L
H	X	H	O	F	B	R	R	B	T	W	O	T	V	M	Y	R	A	B	L
X	U	E	A	R	H	A	U	O	D	U	O	D	N	O	R	M	P	Q	I
I	Ç	D	M	R	H	D	W	D	R	P	T	C	I	T	Q	Q	L	A	U
E	E	E	T	U	Ç	N	F	Z	Y	T	S	H	U	E	X	R	S	E	O
N	C	A	L	Q	O	A	S	K	W	I	R	I	A	J	Ç	A	R	Z	R
O	Q	C	R	F	U	P	J	X	Z	A	A	M	W	C	P	O	Q	D	T
M	Ç	B	W	M	O	N	O	R	P	A	L	E	K	D	B	Ç	U	H	I
H	A	O	K	A	X	L	W	V	I	L	M	T	G	R	U	S	B	D	P
P	J	T	J	Ç	F	Ç	B	S	B	A	O	B	M	K	U	H	F	E	D

À croquer ! **56**

Pokédex en miettes ! **57**

Dracaufeu ; Feunnec ; Flambusard ; Salamèche ; Hélionceau ; Goupelin ; Pyroli ; Roussil.

Poké Ball mystère **58**

Amphinobi.